EL **CLUB**
de
LAS **BABY-SITTERS**

DAWN Y LOS NIÑOS IMPOSIBLES

UNA NOVELA GRÁFICA DE
GALE GALLIGAN

EL **CLUB**
de
LAS **BABY-SITTERS**

DAWN Y LOS NIÑOS IMPOSIBLES

BASADO EN LA NOVELA DE
ANN M. MARTIN

MAEVA young

Título original: *The Baby-Sitters Club – Dawn and the Impossible Three*
Texto: © Ann M. Martin, 2017
Ilustraciones: © Gale Galligan, 2017
Todos los derechos reservados. Publicado por acuerdo con Scholastic,
557 Broadway, Nueva York, NY 10012, EE. UU.
Traducción: Ana Belén Fletes Valera, 2020

© MAEVA EDICIONES, 2020
Benito Castro, 6
28028 MADRID
www.maeva.es

Edición de venta exclusiva en USA distribuida por LECTORUM

ISBN: 978-84-18184-20-8
Depósito legal: M-25146-2020
Adaptación de cubierta e interiores: Gráficas 4
Impresión: Macrolibros

Este libro se ha elaborado con papel procedente de bosques
gestionados de forma sostenible, reciclado y de fuentes controladas,
avalado por la asociación PEFC, la más importante del mundo
para la sostenibilidad forestal.

MAEVA apuesta para frenar la crisis climática y desea contribuir al esfuerzo
colectivo y permanente de proteger y preservar el medio ambiente y nuestros bosques
con el compromiso de producir nuestros libros con materiales sostenibles.

Para la tía Dot
A. M. M.

Mi eterno agradecimiento a mi madre, a mi padre y a Lori, A.M.,
Raina Telgemeier, Cassandra Pelham, David Saylor, David Levithan,
Phil Falco, Sheila Marie Everett, Braden Lamb, John Green,
Dave Roman, Rachel Young, Ngozi Ukazu, Dave Valeza,
y a mis queridos amigos, mi familia y mis alumnos.

Y a Patrick, que está en una posición privilegiada
porque es mi favorito.
G. G.

KRISTY THOMAS
PRESIDENTA

CLAUDIA KISHI
VICEPRESIDENTA

DAWN SCHAFER
SUSTITUTA CON
RESPONSABILIDADES

MARY ANNE SPIER
SECRETARIA

STACEY MCGILL
TESORERA

SOY DAWN. ¿TE ACUERDAS DE MÍ?

asentir

¿PUEDO PASAR?

...

AH, PERO SI YA ESTÁS AQUÍ, DAWN.

¡PERFECTO! JUSTO A TIEMPO.

asentir

SI ME NECESITAS PARA ALGO, LLAMA A LA BIBLIOTECA Y DILES QUE ESTOY EN LA REUNIÓN DE LA JUNTA, ¿DE ACUERDO? TE HE DEJADO EL NÚMERO AL LADO DEL TELÉFONO.

Y LOS NÚMEROS EN CASO DE EMERGENCIA ESTÁN DONDE SIEMPRE.

frus

¡ENTENDIDO!

MALLORY ESTÁ ARRIBA HACIENDO LOS DEBERES, ENSEGUIDA BAJA.

MARGO ESTÁ JUGANDO ABAJO Y NICKY ESTÁ EN CASA DE LOS BARRETT CON BUDDY.

MUY BIEN.

AQUELLA TARDE ME TOCABA CUIDAR DE CUATRO DE LOS OCHO HIJOS DE LOS PIKE.

ESTOS VAN Y VIENEN DE UNA CASA A OTRA TODO EL RATO, ASÍ QUE SEGURO QUE LOS VERÁS MÁS TARDE.

9

¿CUÁNTO ES OCHO POR SIETE?

HOLA, MAL. ESA TE LA SABES.

ESTA ES MALLORY.

...

¿CINCUENTA Y SEIS?

A VECES NOS ECHA UNA MANO EN EL CLUB.

¡MUY BIEN!

¡GRACIAS! CON ESTO TERMINO.

¿MERENDAMOS?

CLARO QUE SÍ.

te pillé

DE HECHO, HOY ES SU PRIMER DÍA OFICIAL COMO EL MIEMBRO MÁS JOVEN DEL CLUB DE LAS BABY-SITTERS.

14

CAPÍTULO 2

¿¿QUÉ HA PASADO??

ACABA DE LLAMARME MI PADRE.

ME HA DICHO QUE NO LO ESPERE PARA CENAR.

¿Y ESO?

ME HA DICHO QUE NO LO ESPERE...

¡PORQUE VA A CENAR CON TU MADRE!

giro

¡OH! ¡OTRA VEZ!

MI PADRE NO ES UNA PERSONA IMPULSIVA, **NUNCA** LO HA SIDO.

Y ME HA DICHO QUE HA SURGIDO ASÍ.

NO ME LO PUEDO CREER.

SÉ QUE ME QUEDABAN...

TIENEN QUE ESTAR POR AQUÍ...

ESTA ES CLAUDIA, LA VICEPRESIDENTA DEL CLUB.

¡AQUÍ ESTÁN!

ositos

STACEY ES LA TESORERA. VIVÍA EN NUEVA YORK, PERO SE MUDÓ A ESTA CIUDAD ANTES DE QUE YO LLEGARA.

TENEMOS CATORCE DÓLARES.

NO ESTÁ MAL.

A LO MEJOR DEBERÍAMOS COMPRAR ALGUNA COSA MÁS PARA COMPLETAR LOS KITS DE JUEGOS.

KRISTY ES LA FUNDADORA Y PRESIDENTA DEL CLUB.

NO ME CAYÓ MUY BIEN AL PRINCIPIO, PERO CREO QUE AHORA NOS LLEVAMOS MEJOR.

¿LLEGO TARDE?

21

CAPÍTULO 3

SOLO UN
PENDIENTE

GOMA
DEL PELO

ETIQUETA
DEL PRECIO

MAMÁ,
POR FAVOR.

¿QUÉ HARÍA
YO SIN TI,
DAWN?

ras

MUCHO MEJOR.
AHORA SÍ QUE
ME VOY.

ESTÁ BIEN.
SALUDA
AL SEÑOR
SPIER
DE MÍ...

. . .

¡EL
PENDIENTE!

PUAJ

blob

RESTOS DE GUISO CON VERDURA.

PORFA, PORFA.

PIZZA

¡EH, JEFF!

¿TE APETECE PIZZA ORGÁNICA CONGELADA?

SÍ, POR FAVOR.

ding

ring
rin
ring ring

JOPE.

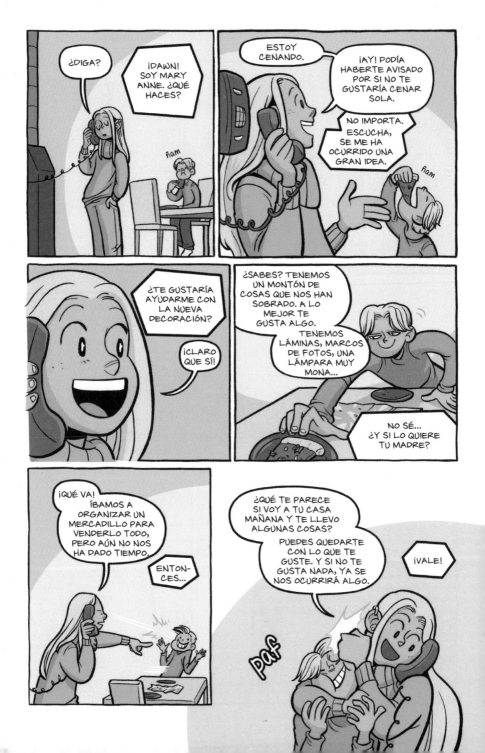

34

HOLA.
¿Y TODAS
ESTAS
COSAS?

ME LAS
HA TRAÍDO
DAWN.

¡PAPÁ ME DEJA QUE
QUITE LA DECORACIÓN
DE LAS PAREDES
Y QUE PONGA
LO QUE QUIERA!

¿TE DEJA
QUE CLAVES
CHINCHETAS EN
LAS **PAREDES**?

SUPONGO
QUE SÍ.

¿CÓMO NO **ME**
HABÍAS DICHO QUE
IBAS A CAMBIAR LA
DECORACIÓN?

NO SÉ...
¿TE HE CONTADO
QUE NUESTROS
PADRES VOLVIERON
A SALIR ANOCHE?

LO DECIDIERON
DE REPENTE.

ESO...
ESTÁ GUAY,
SUPONGO.

SABES...

A LO MEJOR PUEDO TRAERTE ALGO PARA TU NUEVA HABITACIÓN.

¿TE ACUERDAS DE AQUEL PÓSTER CON EL QUE GANAMOS UN PREMIO EN CLASE DE MANUALIDADES?

¿AÚN LO TIENES?

Y PODRÍAMOS ARREGLAR AQUELLOS VIEJOS MARCOS DE FOTOS ROSAS QUE TENÍAS CON EL KIT DE ESTAMPACIÓN DE WATSON.

¡QUÉ BUENA IDEA!

Y YA QUE TODOS ESTOS ADORNOS SON GRATIS...

... A LO MEJOR PUEDO CONVENCER A MI PADRE PARA QUE ME CAMBIE EL EDREDÓN.

KRISTY, ¿TE ACUERDAS DE AQUELLA VEZ...?

NOS PASAMOS HORAS AYUDANDO A MARY ANNE CON LA NUEVA DECORACIÓN. HABLAMOS DE MUCHAS COSAS, HICIMOS PLANES Y NOS REÍMOS MUCHO.

PERO ME DI CUENTA DE DOS COSAS:

KRISTY SOLO LE HABLABA DIRECTAMENTE A MARY ANNE...

Y NO SE REÍA CON MIS BROMAS. (AUNQUE MARY ANNE SÍ.)

CAPÍTULO 4

CUANDO QUISE DARME CUENTA, SE ME HABÍA HECHO LA HORA DE IR A CASA DE LOS BARRETT.

ding dong

criiiiik

HOLA, SUZI, ME LLAMO DAWN. TE CURÉ LA HERIDA DE LA RODILLA, ¿TE ACUERDAS?

asentir

PUES HOY HE VENIDO A CUIDAROS.

¿ESTÁ TU MAMÁ?

asentir

Y ASÍ FUE COMO ME GANÉ A OTRO NIÑO...

¿PUEDO PASAR?

asentir

DE ESOS QUE SOLO SABEN CONTESTAR MOVIENDO LA CABEZA.

AY, ¿Y ESTA ES MARNIE?

SÍ.

HOLA, MARNIE. PERO QUÉ MONA...

PUAJ.

¿SABES DÓNDE GUARDA TU MADRE LOS PAÑALES?

Mmm

Y EN ESE MOMENTO ME DI CUENTA DE UNA COSA...

¡¡LA CASA ESTABA HECHA UN **DESASTRE**!!

Plom
Plom
Plom

¿DAWN? ¿ERES TÚ?

HOLA, SEÑORA BARRETT.

¿DÓNDE TIENE LOS...?

HASTA LUEGO, NIÑOS. PORTAOS BIEN CON DAWN.

¡ESPERE! ¿DÓNDE VA A ESTAR?

EN UNA ENTREVISTA DE TRABAJO Y VOY TARDE.

¿Y SI TENGO ALGÚN PROBLEMA? ¿CÓMO CONTACTO CON USTED?

LLAMA A LOS PIKE, ¿DE ACUERDO?

BUENO...

DE ACUERDO.

ñiaiiiiiiiiiiiiiii

NORMALMENTE, LOS PADRES ME DAN ALGUNA INDICACIÓN.

MERIENDA A LAS 4, NADA DE TELEVISIÓN HASTA QUE NO ACABEN LOS DEBERES...

BUENO...

ALGO.

¿HABÉIS VISTO ALGUNA VEZ MARY POPPINS?

NOP.

¿OS APETECE JUGAR A UN JUEGO NUEVO?

¡¡SÍ!!

44

ASÍ ESTÁ MUCHO MEJOR, ¿VERDAD?

¡SÍ!

AUNQUE NO HAYAMOS BATIDO EL RÉCORD ESTA VEZ.

DAWN...

¿SÍ?

¿TÚ TIENES PAPÁ?

PUES... SÍ TENGO, PERO NO ESTÁ AQUÍ. NO VIVE CON NOSOTROS.

¿DE VERDAD?

SÍ. ÉL VIVE EN CALIFORNIA. A CUATRO MIL OCHOCIENTAS MILLAS DE DISTANCIA.

MIS PADRES ESTÁN DIVORCIADOS.

LOS NUESTROS TAMBIÉN.

CUANDO LLEGA LA SEÑORA BARRETT...

SUZI YA SE HA CALMADO.

Y TODOS ESTAMOS DESEANDO ENSEÑARLE LO BIEN QUE HEMOS DEJADO LA CASA.

¡ERES UNA **MARAVILLA,** DAWN!

ESPERO QUE VUELVAS.

CUANDO QUIERA.

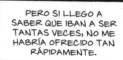

PERO SI LLEGO A SABER QUE IBAN A SER TANTAS VECES, NO ME HABRÍA OFRECIDO TAN RÁPIDAMENTE.

CAPÍTULO 5

CUANDO CONOCÍ A MARY ANNE, ESTABA COMIENDO SOLA EN LA CAFETERÍA DEL INSTITUTO. SE HABÍA PELEADO CON SUS AMIGAS DEL CLUB DE LAS BABY-SITTERS.

ESTABAN TODAS LAS DEL CLUB JUNTAS CON OTRAS AMIGAS, TODAS MENOS MARY ANNE.

FUE ENTONCES CUANDO ME PRESENTÉ.

PERO AHORA QUE KRISTY Y ELLA SON AMIGAS OTRA VEZ...

HAN VUELTO A SENTARSE EN SU MESA DE SIEMPRE CON LAS GEMELAS SHILLABER.

NO SE ME HABÍA OCURRIDO.

NI A MÍ.

A MÍ SÍ.

¡ENTONCES TENDRÍA UN HERMANO Y UNA HERMANA!

YO SIEMPRE HE QUERIDO TENER UNA HERMANA.

CREÍA QUE **YO** ERA UNA HERMANA PARA TI.

DE REPENTE, LO SUPE.

54

57

ESTABA CLARO
QUE SEGUÍA SIENDO
LA NUEVA.

¡DAWN! ¡BUENOS DÍAS!

LOS NÚMEROS EN CASO DE EMERGENCIA ESTÁN EN EL FRIGORÍFICO...

TENGO QUE IRME CORRIENDO.

¡HASTA ESTA NOCHE!

¡ZUM!

¿CUÁNTO TIEMPO TE VAS A QUEDAR?

¿QUÉ HAY DE DESAYUNO?

¿MA?

ESTO...

ring ring

ESPERAD UN MOMENTO.

¿DIGA? CASA DE LA FAMILIA BARRETT.

¡DAAAWN!

¿CLAUDIA? ¿ERES TÚ?

¡SÍ!

STACEY, MALLORY Y YO VAMOS A CUIDAR A LOS PIKE, A TODOS ELLOS, Y SE NOS HA OCURRIDO HACER UN PÍCNIC.

¿A QUÉ HORA?

¿A LA 1 ESTÁ BIEN? NOSOTRAS NOS ENCARGAMOS DE LA COMIDA. ¿TRAES TÚ LOS APERITIVOS?

¡SÍ! PERFECTO.

¡PERO TENDREMOS QUE DARNOS PRISA!

9:00 DESAYUNAR

9:30 RECOGER LA MESA

10:00 VESTIR A LOS NIÑOS

10:30 HACER LAS CAMAS Y RECOGER LAS HABITACIONES

11:00 SEGUIMOS RECOGIENDO LAS HABITACIONES

11:30 ¿APERITIVOS PARA UN PÍCNIC?

¡PERFECTO!

Preparado Brownie

«Como hecho

12:00 JUGAR LIMPIAR LA COCINA

plom

Harina

12:30 ¡BROWNIES!

12:50 ¡VAMOS DE PÍCNIC!

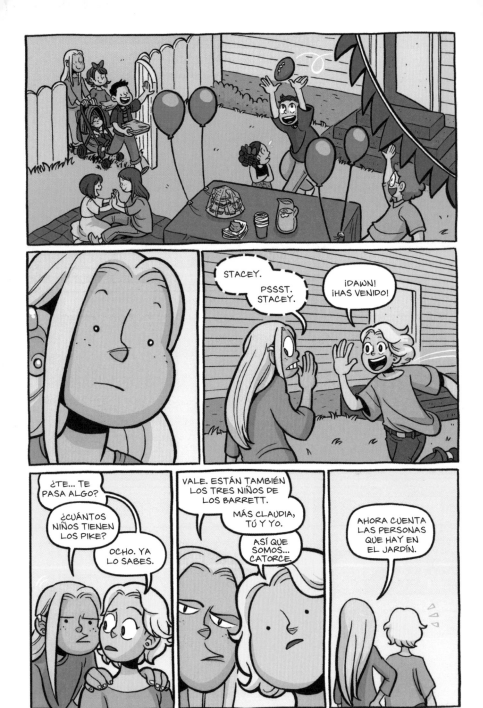

BZZZZZZ

¡EH!

¡CLAUDIA! ¡JORDAN ME HA HECHO LA SEÑAL DE LA DESCARGA ELÉCTRICA!

OH, NO.

¡NO HAY BROWNIE PARA LOS DE LAS DESCARGAS!

¡EY! NO ME MUERDAS.

MARNIE. ¿QUIERES UN POQUITO DE BROWNIE?

¡¡NO!!

¡¿PERO QUÉ HACES?!

NO, ¡¿QUÉ HACES **TÚ**?!

MARNIE ES **ALÉRGICA**.

NO PUEDE COMER CHOCOLATE. SE PONE MUY MALITA.

¿QUÉ? PERO...

LA SEÑORA BARRETT NO ME HA DICHO NADA.

Miércoles, 27 de mayo

Esta tarde he cuidado al hermano de
Dawn Shafer, Jeff. Es de esos niños que se
consideran demasiado mayores para tener
una baby-sitter, pero Dawn estaba con los
Barrett y a su madre le regalaron entradas
para un concierto y no quería dejar a Jeff
solo por la noche. Me llamó en el último minuto
y por suerte estaba libre. Cuidar a Jeff ha
sido muy fácil.

Dawn, me he fijado en que te has quedado
con los niños de los Barrett dos días seguidos
esta semana. Miré el libro de reservas del
club y vi que la semana pasada fuiste cuatro
veces. ¿No son muchos días?

Te lo digo como amiga.

                              * Claudia *

CAPÍTULO 7

¡PERDÓN! ¡TENGO PRISA!

VOY A CASA DE LOS BARRETT.

CLAUDIA TENÍA RAZÓN.

ENTRE EL DIVORCIO Y QUE LA SEÑORA BARRETT ESTABA BUSCANDO TRABAJO, PARECÍA QUE NECESITABA QUE SIEMPRE SE QUEDARA ALGUIEN CON SUS HIJOS...

Y YO ERA SU PREFERIDA.

HASTA ME PERDÍ UNA REUNIÓN DEL CLUB UN DÍA.

LA SEÑORA BARRETT ME HABÍA PROMETIDO QUE ESTARÍA EN CASA A LAS 5:30, PERO AL FINAL APARECIÓ A LAS 6 ¡Y NO SE LE OCURRIÓ LLAMARME SIQUIERA!

ASÍ QUE, AL FINAL, REUNÍ EL VALOR PARA HABLAR CON ELLA.

GRACIAS, DAWN. NO SÉ LO QUE HARÍA...

SEÑORA BARRETT...

¿CÓMO NO ME DIJO QUE MARNIE ES ALÉRGICA AL CHOCOLATE?

¿NO... NO TE LO DIJE?

NO.

CASI LE DI UN TROZO DE BROWNIE EL OTRO DÍA. MENOS MAL QUE MALLORY ME AVISÓ.

¡DIOS MÍO!

¿ES ALÉRGICO ALGUNO DE SUS OTROS HIJOS?

QUE NOSOTROS SEPAMOS, NO.

¿ALGUNA OTRA COSA QUE DEBA SABER?

SOLO UNA. SI LLAMA MI EXMARIDO...

NO LE DEJES QUE **HABLE** CON LOS NIÑOS.

NO LE DIGAS QUE PUEDE **VERLOS.**

Y **NO** LE DIGAS QUE NO ESTOY EN CASA.

DILE SIMPLEMENTE QUE HAS VENIDO A AYUDARME Y QUE NO PUEDO PONERME EN ESE MOMENTO. ÉL...

cataplún

¡AAAAAY!

¡SUZI!

NIÑOS...

YO ME OCUPO.
¿POR QUÉ NO
AYUDA A SUZI
A CAMBIARSE
DE ROPA?

BUDDY, VE A
BUSCAR PAPEL DE
COCINA. VAMOS A
RECOGER ESTO.

JOPE.

GRACIAS OTRA VEZ, DAWN. ESPERO QUE SEPAS LO AGRADECIDOS QUE TE ESTAMOS.

CON TODO LO QUE ESTÁ PASANDO, YO, BUENO...

abrazo

ring

¡YO CONTESTO!

¡BUDDY! ¡YA TE HE DICHO QUE NO CONTESTES AL TELÉ...!

DICE PAPÁ QUE DÓNDE ESTAMOS. SE SUPONÍA QUE TENÍAS QUE HABERNOS LLEVADO A SUZI Y A MÍ A SU CASA HACE MEDIA HORA.

¡MADRE MÍA! ¡SE ME HA OLVIDADO POR COMPLETO!

¡HASTA EL MIÉRCOLES, DAWN!

LA CHARLA NO FUE COMO ESPERABA.

HAN PASADO YA VARIAS SEMANAS Y TAL COMO DIJO CLAUDIA, LA SEÑORA BARRETT ME LLAMA **MUCHAS VECES.**

EMPIEZO A TENER LA SENSACIÓN DE QUE SOY COMO UNA MADRE SUSTITUTA.

¿QUÉ TE PASA, BUDDY?

snif

SON MI-MIS... DEBERES.

¿PUEDO AYUDARTE YO? SOY BASTANTE LISTA.

NECESITO QUE ME AYUDE MI **MADRE.**

ring
ring

¡HOLA! AHORA NO PUEDO ATENDERTE, PERO DEJA TU NOMBRE Y TU NÚMERO...

TIENE EL MÓVIL APAGADO.

SIEMPRE SE LE OLVIDA ENCENDERLO.

bruaaggg

buaaaa

hwork!

nnnnnnnnn
bruaaaggg
aagggg
aaggg
aaggg
aaaaa

¿SE PUEDE?

¡MALLORY! MUCHÍSIMAS GRACIAS POR VENIR.

SUZI LLEVA UN RATO VOMITANDO Y LA SEÑORA BARRETT NO COGE EL TELÉFONO. ¿PODRÍAS...?

DAME.

ME PASÉ EL RESTO DEL DÍA LEYÉNDOLE CUENTOS A SUZI EN EL BAÑO...

MIENTRAS MALLORY SE OCUPABA DE MARNIE Y DE BUDDY.

bip
toc toc toc

¿Y A TI QUÉ TE PASA?

AL FINAL NOS CONTAGIAMOS
TODOS EN MI CASA Y EN
LA DE MALLORY.

CAPÍTULO 8

ME ALEGRABA HABER AYUDADO A BUDDY, PERO DEBERÍA HABERLO HECHO SU MADRE, YA QUE ERA EL ÁRBOL GENEALÓGICO DE SU FAMILIA...

ding dong

ains

DEBERÍA HABERSE PUESTO ORGULLOSA DE LA ESTRELLA DORADA...

HOLA, DAWN.

VAMOS, SUBE.

Y HABER RECIBIDO EL ABRAZO DE SU HIJO.

GRACIAS, JANINE.

EL RESTO DE LA REUNIÓN FUE COMO SIEMPRE, HASTA QUE...

AY, CASI SE ME OLVIDA...

KRISTY, QUERÍA HABLARTE DE UNA COSA.

¿QUÉ?

EL OTRO DÍA ESTABA CUIDANDO A DAVID MICHAEL...

SÍ, ME ACUERDO.

OYE...

STACEY...

ah ah ah ah

89

CUANDO HICISTEIS LA MUDANZA, ¿LO METISTEIS **TODO** EN EL CAMIÓN?

SÍ, CLARO, LO GUARDAMOS TODO.

NO DEJAMOS **NADA** EN LA OTRA CASA.

¿Y... LAS MASCOTAS TAMBIÉN?

¿?

Snif

¡NO TE PREOCUPES, DAVID MICHAEL! NO VAN A METER A **LOUIE** EN EL CAMIÓN DE LA MUDANZA.

ja ja ja ja

¡DAVID MICHAEL!

PERO DESPUÉS DE HABLAR CON ÉL, ME PUSE A PENSAR.

¿QUÉ PASARÁ CON EL CLUB CUANDO OS MUDÉIS A LA OTRA CASA?

ESTÁ SOLO A UNAS MILLAS DE DISTANCIA...

MI MADRE NO QUIERE QUE VENGA EN BICI DESDE LA CASA DE WATSON.

¿Y SI NOS REUNIMOS EN OTRO SITIO?

PERO NECESITAMOS TELÉFONO.

ES LA ÚNICA MANERA DE QUE NUESTROS CLIENTES CONTACTEN CON NOSOTRAS.

ESE WATSON ES BOBO.

NO TE METAS CON WATSON. ÉL NO TIENE LA CULPA.

NADIE LA TIENE.

SIEMPRE LO SABES TODO.

PUEDE QUE SEPA MÁS DE LO QUE TÚ CREES.

TUS PADRES NO SON LOS ÚNICOS QUE SE HAN DIVORCIADO.

NO, PERO SÍ SOY LA ÚNICA CUYA MADRE HA DECIDIDO CASARSE CON UN TIPO TAN RICO QUE VIVE DONDE VIVEN **LOS MILLONARIOS.**

Y TAMBIÉN SOY LA ÚNICA QUE TAL VEZ TENGA QUE DEJAR EL CLUB QUE **YO MISMA** FUNDÉ.

¡KRISTY!

SIN TI, EL CLUB NO PUEDE SEGUIR. NO ESTARÍA BIEN.

CAPÍTULO 9

EL FUTURO DEL CLUB ESTABA EN EL AIRE... IGUAL QUE EL DICHOSO FRÍO QUE NO SE IBA NI A TIROS.

PERO EL FIN DE SEMANA ERA FIESTA Y MI MADRE ESTABA EMPEÑADA EN ORGANIZAR UN PÍCNIC FUERA COMO FUERA.

JO, MAMÁ, ESTE VA A SER EL PRIMER PÍCNIC AL QUE HAY QUE IR CON ABRIGO.

MIRA QUE ERES EXAGERADA, DAWN, SI HACE MUY BUENO.

¡QUE VOY!

¡AY!

Splash

Y COMO ES NATURAL, LA MAYORÍA DE LA GENTE HABÍA HECHO PLANES. ASÍ QUE, AL FINAL, SOLO VENDRÍAN MIS ABUELOS, LOS SPIER, LOS BARRETT...

POCO DESPUÉS...

ESTAD ATENTAS. ES UN BUEN MOMENTO PARA VER CÓMO SE COMPORTAN.

Y SI TUS ABUELOS NO APRUEBAN SU RELACIÓN CON MI PADRE.

ES POSIBLE QUE TENGAMOS QUE INTERVENIR PARA EVITAR UNA CRISIS.

OYE...

¡A COMER!

Y DIME, **RICHARD**, ¿QUÉ TAL VAN LAS COSAS EN THOMPSON, THOMPSON Y ABRAMS?

PUES HACE TIEMPO QUE NO TRABAJO CON ELLOS.

¿Y ESO?

CREÉ MI PROPIO BUFETE HACE CUATRO AÑOS APROXIMADAMENTE.

¿AH, SÍ?

¿Y SEGUÍS VIVIENDO EN LA CALLE TAYLOR?

NO, YA NO. NOS MUDAMOS A BRADFORD COURT.

AH, UNA ZONA MUY BONITA.

ME ALEGRO DE QUE TODO HAYA SALIDO BIEN.

SÍ.

VUESTROS PADRES SE GUSTAN MUCHO.

ES MUY POSIBLE QUE TERMINÉIS SIENDO HERMANAS.

KRISTY...

¿ESTÁS BIEN?

YO...

YA SABES.

LA BODA DE MI MADRE, LA MUDANZA Y TODO ESO. ES DEMASIADO.

VOY A VIVIR MUY LEJOS DE VOSOTRAS, CHICAS, Y NO SÉ QUÉ VA A PASAR CON EL CLUB...

SNIF

SIENTES QUE TE VAS A QUEDAR ATRÁS Y NO TE GUSTA.

CUANDO VINIMOS A VIVIR A CONNECTICUT, TUVE QUE DEJAR ATRÁS MUCHAS COSAS.

NUESTRA CASA, A NUESTROS PRIMOS Y A NUESTROS MEJORES AMIGOS, A NUESTRO PADRE...

ESTÁN A MILES DE MILLAS DE AQUÍ.

PERO SEGUIMOS HABLANDO.

TÚ SOLO VAS A CAMBIAR DE BARRIO.

¿DE VERDAD CREES QUE VAMOS A DEJAR QUE NUESTRA AMISTAD CAMBIE POR UNAS POCAS MILLAS?

Martes, 2 de junio

Esta tarde he hecho de baby-sitter para Buddy, Suzi y Marnie Barrett. ¡Y menuda tarde! No sé si es por el tiempo o por los problemas del divorcio de sus padres, pero los niños se han portado como unos salvajes. Salvajes y pesados. Estoy segura de que era porque querían que fuera Dawn. No sé cómo lo haces, Dawn. Espero que se porten mejor contigo.

Por cierto, ha llamado el señor Barrett y ha sido muy extraño. Quería saber dónde estaba Buddy. Yo no le he dicho nada. Cuando se lo he comentado a la señora Barrett, se ha puesto de todos los colores (estoy exagerando) y me ha dicho que no debería llamar cuando sabe que ella no está en casa.

¿Qué es lo que ocurre?

Creo que debemos tener cuidado cuando llame el señor Barrett.

Mary Anne

CAPÍTULO 10

DESDE HACE MUCHO TIEMPO QUE NO ME HA TOCADO A MÍ CUIDAR A LOS BARRETT.

NO LE ENVIDIABA EL TRABAJO A MARY ANNE. LLEVABA LLOVIENDO TRES DÍAS SEGUIDOS.

¡PUM!

¡PUM!

¡YA TE TENGO! ¡ESTÁS MUERTA!

PUES NO VOY A ESTAR MUERTA MUCHO TIEMPO PORQUE VENGO A VUESTRA CASA.

APARTA, MARCIANO.

¡¿MARCIANO?! ¡SOY UN VAQUERO DE VENUS!

¡ESTÁ CLARO QUE ES UN ARMA DE VENUS!

¿DAWN?

MUY BIEN. ¿QUIÉN QUIE...?

BZZ

Buuuu uuuuu

BUDDY, COMO VUELVAS A HACER LA DICHOSA SEÑAL DE LA DESCARGA, **A CUALQUIERA,** TE QUEDARÁS EN TU HABITACIÓN HASTA QUE VUELVA TU MADRE.

DE ESO NADA.

YA LO CREO QUE SÍ. YO ESTOY AL CARGO Y SE HARÁ LO QUE YO DIGA.

¿VAS A DECIRLE A MAMÁ QUE ME PORTO MAL?

PUES A LO MEJOR.

¡CHIVATA!

ASÍ SON LAS COSAS.

BIEN. ¿SABÉIS QUÉ VAMOS A HACER HOY?

LEER NO.

PINTAR NO.

VER LA TELEVISIÓN NO.

JUGAR A CANDY LAND NO.

NO. SÉ QUE YA ESTÁIS CANSADOS DE HACER SIEMPRE LAS MISMAS COSAS ENCERRADOS EN CASA.

ASÍ QUE HOY SALDREMOS A LA CALLE A **SALTAR EN LOS CHARCOS.**

METEOS EN TODOS LOS CHARCOS QUE PODÁIS.

¡SALPICANDO A TOPE!

aaaaaaaa

¡EEEHHH!

Splash

¡ME HA **SALPICADO**!

¡MUY BIEN!

LLEVAS PUESTO EL TRAJE DE BAÑO Y LA CHAQUETA IMPERMEABLE.

LAS DOS SON PRENDAS QUE SE **PUEDEN** MOJAR.

OHHHHHHH.

plom
plom

Jl, Jl, Jl

MUY BIEN. DEJEMOS LAS CHANCLAS JUNTO A...

ring ring ri

¡TELÉFONO ESPACIAL!

¡ESPERA!

¡NOOOOO! ¡VENUS ME **NECESITA**!

¿DIGA? RESIDENCIA DE LOS BARRETT.

BZZZZZZ

¡BUDDY! YA TE HE DICHO LO QUE TE PASARÍA SI VOLVÍAS A HACER ESA TONTERÍA.

A TU HABITACIÓN.

CUANDO LLEGÓ LA SEÑORA BARRETT, SE MONTÓ UNA BUENA.

BUDDY ESTABA ENFADADO PORQUE LO HABÍA CASTIGADO...

LA SEÑORA BARRETT ESTABA ENFADADA PORQUE BUDDY SE HABÍA PORTADO MAL...

Y SE DISGUSTÓ **MUCHO** AL SABER QUE EL SEÑOR BARRETT HABÍA LLAMADO.

SE SUPONE QUE SOLO PUEDE HABLAR CON LOS NIÑOS CADA DOS MARTES Y ESTE NO LE TOCABA.

FORMA PARTE DEL ACUERDO DE CUSTODIA Y NO ES CAPAZ DE HACERSE SU PROPIO **CALENDARIO**.

¿Y A TI QUÉ TE **PASA**, BUDDY?

TU PROFESORA NO DEJA DE ENVIARME NOTAS, DICE QUE TE PORTAS MAL...

NO TENGO TIEMPO PARA ESTO, JOVENCITO.

NO PUEDO HACER DE MADRE Y DE PADRE, LLEVAR LA CASA, BUSCAR TRABAJO...

Y SACARTE DE LOS LÍOS EN LOS QUE TE METES.

ES DEMASIADO PARA CUALQUIERA.

CAPÍTULO 11

DESPUÉS DE AQUELLO
SE PUSO A LLOVER
SIN PARAR.

tap tap tap

A MÍ NO ME IMPORTABA,
LA VERDAD. ME
RECORDABA LA ÉPOCA
DE LLUVIAS
EN CALIFORNIA.

ADEMÁS, MI
MADRE ESTABA
DE MUY BUEN
HUMOR.

EL SEÑOR SPIER Y
ELLA HABLABAN POR
TELÉFONO CASI TODAS
LAS NOCHES.

Y LLEVABA TRES DÍAS
SEGUIDOS SIN TENER QUE
RECORDARLE QUE LE
FALTABA UN PENDIENTE...
UN NUEVO RÉCORD.

UNA PENA QUE LOS NIÑOS
BARRETT NO ESTUVIERAN
TAN ALEGRES COMO
NOSOTRAS.

¿OS APETECE QUE JUGUEMOS A ALGO?

NOOOOOOO.

¿Y SI HACEMOS UNA NOVELA GRÁFICA?

ESO ES MUY DIFÍCIL.

¿Y QUÉ OS APETECE HACER?

NO SÉÉÉÉÉÉÉÉ.

buff

¡EH, MIRAD!

tap

¡HA DEJADO DE LLOVER!

¡VAMOS AL **JARDÍN**!

¡ESPERAD!

UN MOMENTO. PENSEMOS ANTES DE SALIR.

BUDDY, TÚ SOLO TIENES QUE PONERTE LAS BOTAS.

ASÍ QUE PUEDES IR DELANTE.

PERO SUZI Y MARNIE, HOY HACE UN POCO DE FRESCO. TENEMOS QUE ABRIGARNOS ANTES DE SALIR.

¡¡NO ES **JUSTO!!**

TARDAMOS UN MINUTO. BUDDY, PONTE LAS BOTAS Y LA CHAQUETA.

¡VOOOOOY!

grrrrrrr

¿DÓNDE NARICES SE HABRÍA METIDO?

CUANDO REGRESAMOS A LA CASA, MIRAMOS OTRA VEZ EN EL JARDÍN Y TAMBIÉN DENTRO, Y LUEGO EMPECÉ A LLAMAR POR TELÉFONO.

LLAMÉ A LOS MURPHY Y A LOS SPENCER, COMO ME HABÍA INDICADO LA SEÑORA PIKE, Y PROBÉ EN CASA DE OTROS CUATRO VECINOS MÁS QUE ME DIJO LA SEÑORA MURPHY.

¿PUEDE AVISARME SI LO VE?

AJÁ.

GRA-CIAS.

PARA TERMINAR DE EMPEORAR LAS COSAS, NO LOCALIZABA A LA SEÑORA BARRETT.

¡HOLA! AHORA NO PUEDO ATENDERTE, PERO...

clic

YO ERA RESPONSABLE DE BUDDY Y LO HABÍA DEJADO SOLO.

¿CÓMO DICES? ¿DÓNDE ESTÁ?

ESTÁ EN SU CLASE.

¿QUÉ?

¿BUDDY VA A CLASE DE ALGO, SUZI? ¿PIANO O PINTURA?

MMM...

NO...

CARIÑO, ¿QUÉ TE HACE PENSAR QUE ESTÁ EN CLASE?

PUES...

CUANDO LA SEÑORA KATZ Y SANDY VINIERON A RECOGERME PARA LLEVARME A MI CLASE DE PIANO...

VI QUE ALGUIEN RECOGÍA EN SU COCHE A BUDDY.

Y POR ESO PENSÉ QUE...

¿VISTE A BUDDY SUBIRSE EN EL COCHE DE ALGUIEN ESTA MAÑANA?

VOY A LLAMAR A LA POLICÍA.

asentir

¡BUDDY!

¡¡BUDDYYYYY!!

CAPÍTULO 12

¿RECUERDAS ALGÚN OTRO DETALLE SOBRE EL COCHE?

MMM...

¿VISTE LA MATRÍCULA? ¿AL CONDUCTOR TAL VEZ?

NO...

¿ERA UN HOMBRE O UNA MUJER?

NO LO **SÉ**, ¿VALE?

VIVIMOS A TRES CASAS DE AQUÍ Y, ADEMÁS, NO ESTABA PENDIENTE.

¿POR QUÉ IBA A PENSAR QUE **HARÍA** ALGO ASÍ?

LA SEÑORA KATZ ME RECOGIÓ Y VI QUE BUDDY SE SUBÍA A UN COCHE APARCADO EN LA RAMPA DE ENTRADA DE SU CASA. **YA ESTÁ.**

PERO ESTÁS SEGURO DE QUE ERA UN COCHE AZUL, ¿VERDAD?

SÍ.

UN COCHE AZUL. Y NO TE FIJASTE EN EL CONDUCTOR.

NO.

¿TE PARECIÓ QUE BUDDY ESTUVIERA ASUSTADO CUANDO SE SUBIÓ AL COCHE? ¿COMO SI NO QUISIERA HACERLO?

NO. ESTABA ABRIENDO LA PUERTA PARA SUBIR.

¿RECONOCISTE EL COCHE? ¿LO HABÍAS VISTO ALGUNA VEZ POR EL BARRIO?

YO...

NO LO SÉ. ME PARECIÓ UN COCHE NORMAL.

¿ALGUNA OTRA PREGUNTA?

UN PAR MÁS.

SÉ QUE YA TE LO HEMOS PREGUNTADO, PERO

¿ESTÁS **SEGURO** DE QUE NO VISTE AL CONDUCTOR? ¿NI SIQUIERA SI ERA UN HOMBRE O UNA MUJER?

ME QUEDÉ MIRANDO A **BUDDY,** NO AL CONDUCTOR.

UNA COSA MÁS.

¿QUÉ HORA ERA CUANDO VISTE A BUDDY SUBIRSE AL COCHE?

¿A QUÉ HORA PASA A RECOGERME LA SEÑORA KATZ, MAMÁ?

A LAS 11:15, TESORO.

PUES LAS 11:15. MI CLASE EMPEZABA A LAS 11:30.

Ras ras

EN CUANTO A MÍ, TODAS LAS PREGUNTAS QUE ME HIZO LA POLICÍA TENÍAN QUE VER CON EL SEÑOR BARRETT.

SE QUEDARON MUY DECEPCIONADOS CUANDO LES DIJE QUE NO SABÍA CASI NADA DE ÉL NI DEL DIVORCIO.

PERO SÍ LES INTERESÓ MUCHO QUE LA SEÑORA BARRETT NO QUISIERA QUE EL SEÑOR BARRETT LLAMARA A LOS NIÑOS.

134

LA POLICÍA ESTUVO ENTRANDO Y SALIENDO DE LA CASA DURANTE LA HORA SIGUIENTE.

REGISTRARON TODO BUSCANDO UNA AGENDA DE TELÉFONOS O ALGUNA PISTA SOBRE DÓNDE PODRÍA ESTAR EL SEÑOR BARRETT, PERO NO ENCONTRARON GRAN COSA.

MALLORY SE OFRECIÓ A IR A RECOGER A SUZI A SU CASA Y YO LLAMÉ PARA PREGUNTAR A LA NIÑA SI SE ACORDABA DE DÓNDE VIVÍA SU PADRE.

MMM... ¿EN SU PISO?

Y MIENTRAS TANTO, TENÍA QUE CUIDAR DE MARNIE.

ring ring rin

¿ME ESTÁ DICIENDO QUE MI EXMARIDO SE LLEVÓ A BUDDY DE CASA ESTA MAÑANA...? ¿Y NO SE HAN ENTERADO HASTA QUE MI HIJO HA LLAMADO?

EXACTO. NO ES MI INTENCIÓN ALARMARLA, PERO...

¿PODRÍA DECIRME SI SU DIVORCIO FUE AMISTOSO?

NO, NO LO FUE. ¿POR QUÉ?

PORQUE, BUENO, SUELEN DARSE MUCHOS CASOS DE NIÑOS DESAPARECIDOS EN PAREJAS QUE SE HAN DIVORCIADO.

UNO DE LOS PROGENITORES SE LLEVA A SUS HIJOS PORQUE QUIERE LA CUSTODIA A PESAR DE QUE NO SE LES HAYA CONCEDIDO.

OH, **NO.** HAM Y YO TENEMOS PROBLEMAS, PERO JAMÁS SE LE OCURRIRÍA **SECUESTRAR** A LOS NIÑOS. QUIERO DECIR QUE ESTÁN CON ÉL DOS VECES A...

DOS VECES A...

raaas

frus frus

VAYA POR DIOS.

20 MINUTOS DESPUÉS.

Blam
toc toc
plom

¡DAWN!

¡BUDDY!

SIENTO HABERTE PREOCUPADO.

ME MUERO DE **HAMBRE**. ¿HAY GALLETAS?

VAMOS A LA COCINA A VER SI QUEDA ALGUNA.

MIENTRAS BUDDY Y YO ÍBAMOS A BUSCAR LAS GALLETAS, EL SEÑOR BARRETT LE CONTÓ SU VERSIÓN DE LOS HECHOS A LA POLICÍA.

LA SEÑORA BARRETT ÚLTIMAMENTE HACÍA MUCHOS CAMBIOS EN EL CALENDARIO DE LAS VISITAS Y CUANDO SE DIO CUENTA DE QUE HABÍA VUELTO A CONFUNDIR LAS FECHAS, SE ENFADÓ MUCHO.

ASÍ QUE DECIDIÓ DARLE UNA LECCIÓN.

SE LE OCURRIÓ ACERCARSE A LA CASA, LLEVARSE A LOS NIÑOS Y ESPERAR A VER SI SU EXMUJER SE DABA CUENTA DE QUE SE HABÍA CONFUNDIDO.

PERO AL VER A BUDDY EN EL JARDÍN, PENSÓ QUE SERÍA MÁS FÁCIL LLEVÁRSELO SOLO A ÉL.

HAM 83

FUERON A COMER Y AL PARQUE DE ATRACCIONES, PERO BUDDY NO PARECÍA MUY CONTENTO.

Y CUANDO LE PREGUNTÓ QUÉ LE OCURRÍA, EL NIÑO LE DIJO QUE ESTABA PREOCUPADO POR **MÍ**, PORQUE YO NO SABRÍA DÓNDE ESTABA.

FUE ENTONCES CUANDO EL SEÑOR BARRETT SE DIO CUENTA DE QUE SU EXMUJER NO ESTABA EN CASA.

Y A SABER QUÉ HARÍA UNA BABY-SITTER CUANDO SE DIERA CUENTA DE QUE UNO DE LOS NIÑOS QUE SE SUPONÍA QUE TENÍA QUE CUIDAR HABÍA DESAPARECIDO.

LA POLICÍA LO DEJÓ EN UN AVISO.

AUNQUE SÍ LES ACONSEJARON A LOS DOS QUE HABLARAN CON SUS RESPECTIVOS ABOGADOS SOBRE LAS CONDICIONES DEL ACUERDO DE CUSTODIA.

PERO LA HISTORIA NO ACABÓ AHÍ.

TENÍA QUE HABLAR CON LA SEÑORA BARRETT DE UN ASUNTO.

CAPÍTULO 13

FUI A CASA DE LOS BARRETT AL DÍA SIGUIENTE POR LA MAÑANA.

LA SEÑORA BARRETT LE HABÍA DICHO A SU EXMARIDO QUE SE LLEVARA A LOS NIÑOS TODO EL DÍA. ERA LA PRIMERA VEZ QUE LA CASA ESTABA EN SILENCIO.

ERA EXTRAÑO.

¿DE QUÉ QUERÍAS HABLAR, DAWN?

PUES...

ME LLEVO MUY BIEN CON BUDDY, MARNIE Y SUZI, PERO...

NO PUEDO SEGUIR HACIENDO DE BABY-SITTER PARA USTED.

¿QUE **NO PUEDES?** ES POR LO QUE PASÓ AYER, ¿VERDAD?

PUES...

VAMOS A SOLUCIONAR NUESTROS PROBLEMAS, DAWN. HABLAREMOS CON NUESTROS ABOGADOS Y PUEDE QUE TAMBIÉN VAYAMOS A VER A UN PSICÓLOGO.

NO VOLVERÁS A TENER PROBLEMAS CON MI EXMARIDO.

ESE NO ES EL PROBLEMA EN REALIDAD...

EL PROBLEMA ES QUE...

ME HE VISTO EN SITUACIONES COMPROMETIDAS POR...

CULPA DE SUS ERRORES.

NO PUEDO SER UNA BUENA BABY-SITTER SI LOS PADRES NO ME AYUDAN UN POCO.

TENGO QUE SABER COSAS IMPORTANTES, COMO SI UN NIÑO TIENE ALERGIA A ALGUNA COSA, Y DÓNDE ESTÁN LOS PADRES CUANDO ME QUEDO A CARGO DE SUS HIJOS. NECESITO NÚMEROS DE TELÉFONO Y ORGANIZACIÓN.

NO PUEDO HACER TODAS LAS TAREAS DEL HOGAR. Y AYER ME ASUSTÉ MUCHO.

PERO, SOBRE TODO, NO PUEDO SEGUIR PORQUE...

BUDDY Y SUZI ESTÁN EMPEZANDO A DEPENDER MUCHO DE MÍ.

BUDDY ACUDE A MÍ PARA QUE LO AYUDE CON LOS DEBERES DEL COLEGIO.

SUZI ME LLAMA POR TELÉFONO.

LOS ADORO A LOS DOS, Y TAMBIÉN A MARNIE, PERO...

USTED ES SU MADRE... NO YO.

145

LO SIENTO. ESAS SON LAS RAZONES POR LAS QUE NO PUEDO SEGUIR CUIDÁNDOLOS. SUS HIJOS NO NECESITAN UNA BABY-SITTER, NECESITAN A SU **MADRE**.

HE HABLADO SOBRE ESTO CON MIS COMPAÑERAS DEL CLUB Y ELLAS TAMBIÉN CREEN QUE ES LO CORRECTO.

DAWN, ESPERA UN MOMENTO, POR FAVOR.

NO TE VAYAS.

ERES LA MEJOR BABY-SITTER QUE HEMOS TENIDO. LOS NIÑOS TE ADORAN. NO SÉ LO QUE HARÍAN SI...

SEGUIRÉ VINIENDO POR EL BARRIO. SEGURO QUE NOS VEREMOS.

¿NO PODEMOS BUSCAR UNA SOLUCIÓN?

ASÍ QUE HE DECIDIDO HACERLE DE BABY-SITTER TRES VECES MÁS.

CREO QUE FUISTE MUY VALIENTE AL IR A HABLAR CON ELLA.

SÍ, HABÉIS LLEGADO A UN ACUERDO MUY RAZONABLE.

¿CÓMO LO LLEVAN LOS NIÑOS DESDE EL INCIDENTE?

CREO QUE ESTÁN BIEN. MARNIE ES DEMASIADO PEQUEÑA Y NO SE ACUERDA...

MALLORY CUIDÓ MUY BIEN DE SUZI CUANDO LAS COSAS SE PUSIERON FEAS...

Y BUDDY ESTÁ BIEN.

CONFUNDIDO, PERO SUS PADRES LE HAN EXPLICADO QUE TIENEN PROBLEMAS Y QUE ESTÁN INTENTANDO RESOLVERLOS.

PENSAR QUE HAY PADRES POR AHÍ CAPACES DE SECUESTRAR A SUS PROPIOS HIJOS DA MIEDO.

Y QUE LO DIGAS.

149

EL CLUB DE LAS BABY-SITTERS, DÍGAME.

HOLA, DAWN.

HOLA, BUDDY.

ains

¿A QUE NO SABES LO QUE ME HA PASADO HOY EN EL COLE?

SE ME HA CAÍDO EL LÁPIZ EN LA CAJONERA DE STEVE Y EL SEÑOR ZUNG ME HA CASTIGADO SIN SALIR AL RECREO.

ring ring ring ring

BUDDY...

¿SÍ?

¿ESTÁ TU MADRE EN CASA?

SÍ.

CREO QUE DEBERÍAS CONTÁRSELO. SEGURO QUE ELLA SABRÁ DECIRTE QUÉ HACER.

SÍ... VALE.

LA DECISIÓN QUE HE TOMADO ES...

SUBIR LAS TARIFAS.

¿QUÉ?

LA ÚNICA SOLUCIÓN QUE SE ME OCURRE ES PAGAR A ALGUIEN PARA QUE ME TRAIGA A LAS REUNIONES Y ME LLEVE A CASA DESPUÉS. NO ME REFIERO A UN TAXI, SINO A ALGUIEN QUE QUIERA SACARSE UN DINERO EXTRA.

ALGUIEN QUE ACABE DE APRENDER A CONDUCIR...

¡CHARLIE!

ÉL PODRÍA HACERLO, ¿NO?

¡QUÉ BUENA IDEA, KRISTY!

SEGURO QUE ESTARÁ BUSCANDO CUALQUIER EXCUSA PARA USAR EL AUTO.

PERO... ¿NO OS IMPORTA QUE EL DINERO PARA PAGARLE SALGA DE NUESTRO SUELDO?

SÉ QUE ES UN POCO...

KRISTY, TÚ ERES LA **PRESIDENTA.**

ES LA SOLUCIÓN IDEAL.

SI KRISTY SE VA...

NO HAY CLUB.

ANN M. MARTIN creció en Princeton, Nueva Jersey, con sus padres y su hermana menor, Jane. Después de graduarse en el Smith College, trabajó como maestra y editora de libros infantiles. Ahora es escritora a tiempo completo.

Ann saca las ideas para sus libros de muchos lugares. Algunos libros están inspirados en recuerdos y sentimientos de su infancia, pero no todos se basan en experiencias personales. Todos los personajes de Ann, incluidas las chicas de *El Club de las Baby-Sitters*, son una mezcla de realidad y ficción.

Después de vivir en Nueva York durante muchos años, Ann se mudó al norte de la ciudad, donde vive con sus gatos, Gussie, Pippin y Simon.

GALE GALLIGAN se graduó en la Universidad de Nueva York y en el Instituto de Arte y Diseño de Savannah. Ha participado como ilustradora en diversas antologías y también trabajó como asistente de producción en *Drama*, de Raina Telgemeier. Gale vive en Pleasantville, Nueva York. Más información en su web www.galesur.com

EL CLUB de LAS BABY-SITTERS

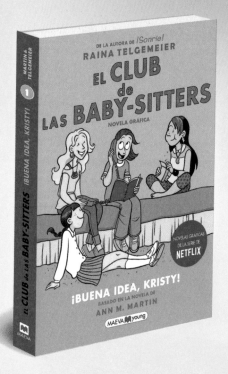

¡BUENA IDEA, KRISTY!

Raina Telgemeier y Ann M. Martin

Un día, al salir de clase, Kristy tiene una idea genial: ¡organizar un club de chicas baby-sitter! Sus amigas Claudia, Mary Anne y Stacey, una compañera nueva del instituto, se apuntan sin pensarlo. Trabajar como baby-sitter les dará la oportunidad de pasarlo bien y ganar un dinero extra para sus cosas. Pero nadie las ha avisado de las gamberradas de los niños, de las mascotas salvajes y de los padres que no siempre dicen la verdad.

EL SECRETO DE STACEY

Raina Telgemeier y Ann M. Martin

¡Pobre Stacey! Acaba de mudarse de ciudad, está acostumbrándose a su diabetes y, además de todo esto, no dejan de surgir contratiempos en su trabajo de baby-sitter. Por suerte tiene tres nuevas amigas: Kristy, Claudia y Mary Anne. Juntas forman El Club de las Baby-Sitters, capaces de enfrentarse a cualquier problema... ¡incluso a otro club que quiere hacerles la competencia!

¡BRAVO, MARY ANNE!

Raina Telgemeier y Ann M. Martin

Las chicas del Club de las Baby-Sitters se han peleado. Ahora a Mary Anne no le queda más remedio que hacer nuevos amigos en la cafetería. Por si esto fuera poco, tiene que aguantar a un padre sobreprotector y, además, no puede acudir a sus amigas cuando surgen problemas con los niños que cuida. ¿Logrará Mary Anne resolver todos sus problemas y conseguir que el Club permanezca unido?

EL TALENTO DE CLAUDIA

Raina Telgemeier y Ann M. Martin

Claudia, que presta más atención a sus inquietudes artísticas y al Club de las Baby-Sitters que a sus deberes del instituto, siente que no puede competir con su hermana perfecta. ¡Janine estudia sin parar e incluso recibe clases de nivel universitario! Pero cuando algo inesperado le sucede a la persona más querida de la familia, ¿podrán las hermanas dejar de lado sus diferencias?

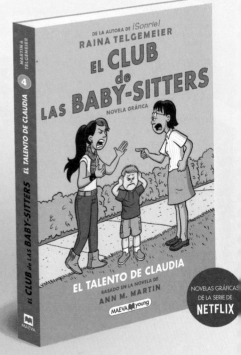

¡Sonríe!

Raina Telgemeier

Esta es la historia real de Raina que una noche, tras una reunión de los scouts, se tropieza y se rompe los paletos. Los meses siguientes serán una tortura para ella: se verá obligada a pasar por una operación, ponerse brackets e incluso dientes falsos. Pero, además, tendrá que «sobrevivir» a un terremoto, a los primeros amores y a algunas amigas que resultan no serlo tanto.

¡Sonríe!
Premio Eisner 2011 a la Mejor publicación infantil y juvenil

Hermanas

Raina Telgemeier

Raina siempre había querido tener una hermana, pero cuando nació Amara las cosas no salieron como esperaba. A través de *flashbacks*, Raina relata los diversos encontronazos con su hermana pequeña, quejica y solitaria. Pero un largo viaje en coche desde San Francisco a Colorado puede que le brinde la oportunidad de acercarse a ella. Al fin y al cabo, son hermanas.

Raina Telgemeier
Premio Eisner 2015 al Mejor escritor e ilustrador

Coraje

DE LA AUTORA DE ¡Sonríe!
Raina Telgemeier

Coraje

Novela gráfica

MAEVA M young

Raina Telgemeier

Raina se despierta una noche con dolores de estómago y ganas de vomitar. Lo que en un principio cree que es un virus contagioso se convierte en la expresión física de su ansiedad. La familia, la escuela, el cambio en los amigos, la timidez en clase o la alimentación tiene parte de la culpa. Afortunadamente sus padres se dan cuenta de ello y toman una decisión importante para ayudarla. Pero será ella quien tenga que hacer frente a sus miedos.

Coraje

Doble premio Eisner 2020 a la Mejor publicación infantil y juvenil y al Mejor escritor e ilustrador

DRAMA

Raina Telgemeier

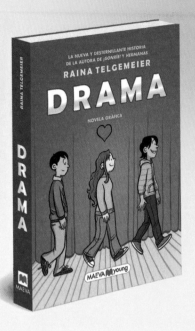

A Callie le encanta el teatro, por eso, cuando le ofrecen un puesto como escenógrafa, no duda en aceptar. Su misión será crear unos decorados dignos de Broadway. Pero las entradas no se venden, los miembros del equipo son incapaces de trabajar juntos y para colmo cuando dos hermanos monísimos entran en escena, la cosa se complica todavía más.

FANTASMAS

Raina Telgemeier

Catrina y su familia se han mudado a Bahía de la Luna porque su hermana pequeña, Maya, está enferma y esperan que el cambio de clima la beneficie. Aunque sabe que es necesario, no es un traslado que haga feliz a Catrina. Pero todo cambia cuando las hermanas exploran su nueva ciudad y descubren un lugar lleno de aventuras, pues Carlos, su nuevo amigo, les revela un gran secreto: en Bahía de la Luna hay fantasmas.

Fantasmas

Premio Eisner 2017 a la Mejor publicación infantil y juvenil

Victoria Jamieson

Premio Newbery Honor Book

CUANDO BRILLAN LAS ESTRELLAS

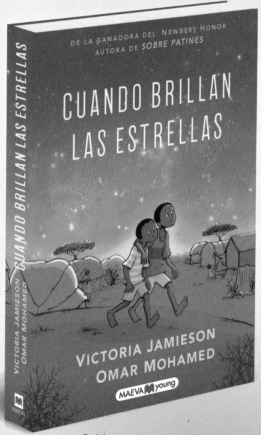

Publicación en enero 2021

Victoria Jamieson y Omar Mohamed

La esperanza, la angustia y el humor amable conviven en esta novela gráfica sobre la infancia que Omar y su hermano Hassan pasaron en un campo de refugiados de la ONU en Kenia. La vida allí es dura, pues nunca hay suficiente comida y el acceso a la atención médica es limitado, además Hassan dejó de hablar cuando salieron de Somalia por la guerra. Es entonces cuando Omar tiene la oportunidad de ir a la escuela, algo que le da a su vida una visión de futuro esperanzadora.

Este libro es necesario, pues representa una mirada íntima, importante y real a la vida cotidiana de un niño refugiado.

Finalista del National Book Award para Jóvenes 2020 en Estados Unidos

SOBRE PATINES

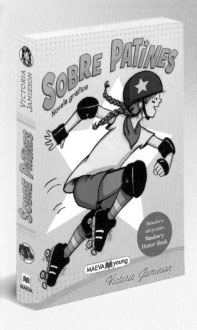

Victoria Jamieson

Astrid siempre ha hecho todo junto con Nicole. Por eso, cuando se inscribe en un campamento de roller derby está segura de que su amiga irá con ella. Pero Nicole se apunta al campamento de ballet ¡con la cursi de Rachel! Entre caídas, tintes de pelo de color azul, entrenamientos secretos y alguna que otra desilusión, este será el verano más emocionante de la vida de Astrid.

PREPARADA, LISTA...
¡BIENVENIDA A CLASE!

Victoria Jamieson

La valiente Momo siempre se ha sentido a gusto en la feria medieval en la que trabajan sus padres. Pero este año está a punto de embarcarse en una aventura épica, ¡empieza la secundaria! Pronto descubrirá que, en la vida real, los héroes y los villanos no siempre son tan fáciles de identificar como en la feria. ¿Cómo conseguirá hacerse un sitio y nuevos amigos en este reino tan extraño y complicado?

CLICK

Kayla Miller

Olivia se lleva bien con todos, «conecta», todo va bien. Pero cuando para la actuación de final de curso se hacen grupos y ella se queda sin ninguno al que unirse, se da cuenta de que la realidad no es así. Con tristeza se pregunta ¿por qué todos sus amigos ya han formado sus propias actuaciones... sin ella? Con la representación acercándose cada a minuto, ¿podrá Olivia encontrar su propio lugar en el espectáculo antes de que suba el telón?

Publicación en febrero 2021

SuperSorda

Cece Bell

Cece desea encajar y encontrar un amigo de verdad. Tras un montón de problemas, descubre cómo aprovechar el poder de su Phonic Ear, el enorme audífono que debe llevar tras haber perdido la audición a los cinco años. Así se convierte en SuperSorda. Una heroína con mucho humor que conseguirá encontrar su lugar en el mundo y la amistad que tanto ansiaba.

Cece Bell

Premio Eisner al Mejor escritor e ilustrador

LOS ESPELUZNANTES CASOS DE MARGO MALOO

DREW WEING

Los espeluznantes casos de Margo Maloo

Charles acaba de mudarse a Eco City, y algunos de sus vecinos nuevos le dan escalofríos. ¡Este lugar está lleno de monstruos!
Por suerte para Charles, Eco City tiene a Margo Maloo, una mediadora de monstruos. Ella sabe exactamente qué hacer.

UNAS HISTORIAS QUE COMENZARON EN INTERNET Y SE HAN CONVERTIDO EN UNA MAGNÍFICA NOVELA GRÁFICA

Margo Maloo y los chicos del centro comercial

En el centro comercial abandonado vive un grupo de jóvenes vampiros, pero su vida de amantes de la música se ve amenazada por adolescentes humanos con teléfonos móviles. Solo hay una persona a la que se puede pedir ayuda, la misteriosa Margo Maloo.

Ana de Las Tejas Verdes

Mariah Marsden y Brenna Thummler, basado en la novela de L. M. Montgomery

Matthew y Marilla Cuthbert, dos hermanos de mediana edad, deciden adoptar a un niño huérfano para que les ayude en la granja, pero una confusión hace que llegue Ana Shirley. Con su cabello rojo fuego y una imaginación imparable, llega a las Tejas Verdes y revoluciona deliciosamente todo Avonlea.

«NADA HAY MÁS PODEROSO QUE UNA CHICA CON IMAGINACIÓN.»
L. M. MONTGOMERY

Toni

Philip Waechter

Toni ve un anuncio de las fabulosas botas de fútbol Ronaldo Flash, y desde ese momento sueña con tener un par. Pero su madre no quiere ni oír hablar del tema (las que tiene aún le quedan estupendamente). Entonces Toni decide conseguir por sí mismo el dinero. Se inicia así un camino lleno de aventuras divertidísimas.